VAUGHAN PUBLIC LIBRARIES
3 3288 08692093 3

W9-DIJ-434

À mon club des cinq, Jeanne, Edgar, Irène, Émile et Matthias.

Claire

MAME

Direction : Guillaume Arnaud
Direction éditoriale : Sarah Malherbe
Édition : Charlotte Walckenaer, Isabelle Girault
Direction artistique : Élisabeth Hebert, assistée de Anaïs Acker
Mise en pages : Sophie Boscardin
Fabrication : Thierry Dubus, Anne Floutier
Photogravure : IGS
Achevé d'imprimer en Italie en janvier 2011 par Zanardi
Dépôt légal : février 2011

ISBN : 978-2-7289-1371-8 - N° d'édition : 11 009

« Loi n° 49-956 du 16 juillet 1949 sur les publications destinées à la jeunesse. »

Un témoin, une histoire

Jean-Paul II

Texte de Claire Astolfi - Illustrations de Benjamin Strickler

MAME

Un prêtre pour la Pologne

1942. Au cœur de l'Europe en guerre, la Pologne est occupée par les Allemands. Des étudiants répètent une pièce de théâtre. Mais certains ont du mal à se concentrer. La discussion est animée.

« Lolek, joins-toi à nous ! Si nous voulons chasser les Allemands du pays, il faut se battre, les armes à la main. Ce n'est pas en faisant du théâtre qu'on libérera la Pologne !

– Je ne pourrai jamais tuer un homme, répond Karol Wojtyla, surnommé Lolek. Mais il existe un autre moyen de résister : la prière !

– La prière ? Mais comment pourrait-elle chasser les Allemands ? demande Halina, une camarade.

– Montrons-leur que l'amour est plus fort que la haine ! Et puis… je crois que Dieu m'appelle à servir mon pays en le servant lui d'abord.

– Tu veux être prêtre ? Et ta carrière d'acteur ? s'exclame Halina.

– La guerre a tout bouleversé. Depuis la mort de mon père, je me sens disponible au projet de Dieu pour moi. C'est décidé, je serai prêtre ! »

En rentrant chez lui, Lolek soupire en repensant à son père chéri, mort l'an passé, affaibli par les privations de la guerre. Il a déjà perdu sa mère et son frère. Aujourd'hui, il est seul, sans famille.

Avec un sourire, il se rappelle son enfance dans la ville de Wadowice, les matchs de football avec ses amis juifs, les randonnées en montagne, les pèlerinages au sanctuaire de Kalwaria où il allait saluer la Vierge Marie qu'il aime tant. Il se revoit adolescent, découvrant avec passion le théâtre. « C'est vrai, je pourrais devenir acteur ou professeur. Mais ma passion aujourd'hui, c'est Jésus. C'est lui que je veux suivre ! Tant pis si je risque d'être fusillé en me préparant à devenir prêtre en cachette des Allemands ! »

Depuis que les Allemands ont envahi le pays, la vie est rude. Plus de sucre, plus de viande, plus de bois pour se chauffer. Et en Pologne, les hivers sont longs ! Le vent est glacial et les températures descendent vite en dessous de zéro…

Comme les universités sont fermées, Lolek travaille dans une carrière de pierres. Un travail épuisant, qui ne lui laisse guère de temps pour étudier. Heureusement, les ouvriers l'aiment bien et le laissent souvent lire et prier.

En 1946, la guerre est terminée depuis un an. Lolek a 26 ans et désormais, on l'appelle « père Karol » ou plus affectueusement « oncle ».
En Pologne, l'avenir s'annonce difficile. Les Allemands ont laissé un pays où les morts se comptent par millions : des Juifs, mais aussi beaucoup de prêtres et des religieux catholiques. Il faut reconstruire les villes et les routes. Mais ce n'est pas tout : leurs voisins russes, qui ont libéré la Pologne des Allemands, occupent à leur tour le pays ! Très vite, ils nomment au pouvoir des hommes qui partagent leurs idées : les maisons, les champs et les usines appartiennent à tout le monde. Quant aux églises, elles sont fermées. Dieu n'a plus sa place, l'homme seul est chargé de son bonheur !

Nommé responsable des jeunes de Cracovie, le père Karol les emmène en montagne :

« Nous prendrons le temps de prier, de chanter et de discuter de tout ce qui vous intéresse.

– On pourra parler des filles et des garçons ?

– De tout ! » répond père Karol qui improvise des exposés sur l'amour et le mariage en pique-niquant.

Une autre fois, il organise une descente en canoë-kayak !

« Mais comment célèbre-t-on la messe en pleine nature ? demande, étonnée, une jeune fille.

– Pas de problème, répond père Karol. Pour l'autel, nous retournerons le canoë. Quant aux pagaies, elles feront une belle croix ! »

Ce père Karol est décidément un prêtre peu ordinaire. Nommé évêque à 38 ans, il devient « monseigneur Wojtyla ». Mais c'est toujours le même homme : chaleureux, audacieux et plein d'humour. Les dirigeants de son pays apprennent vite à le redouter :
« Ce monseigneur Wojtyla est incontrôlable, marmonne un dirigeant communiste. On nous avait pourtant dit que c'était un intellectuel qui vivait le nez dans les livres !
– Il paraît qu'il va célébrer la messe de Noël à Nowa Huta.
– Mais il n'y a pas d'église ! s'exclame un ministre.
– Et il n'y en aura pas ! renchérit un autre. Cette nouvelle ville sans église doit servir de modèle au pays.
– Mais s'il vient quand même ? insiste un secrétaire.
– Nous enverrons l'armée ! déclare avec autorité le premier ministre. »
Mais le soir de Noël, malgré le froid glacial, il y a beaucoup de monde autour de l'évêque, qui célèbre la messe les pieds dans la neige ! L'armée n'ose pas intervenir...

Le 29 septembre 1978, Josef, le chauffeur de monseigneur Wojtyla arrive en courant : « Le pape Jean-Paul Ier est mort ! » Aussitôt, le tout nouveau cardinal Wojtyla fait ses valises et part à Rome pour élire le nouveau pape avec les cardinaux du monde entier. Mais les cardinaux ont du mal à choisir.

« Pourquoi pas un Polonais ? propose un cardinal. Depuis 500 ans, le pape est Italien… »

Un ami chuchote au père Wojtyla :

« Si tu es choisi, il faut accepter ».

Dehors, le monde a les yeux fixés sur la cheminée de la chapelle Sixtine. Ça y est ! La fumée est blanche, le pape vient d'être élu ! Quand le nom du nouveau pape est annoncé, les gens sont étonnés :

« Il paraît que c'est un Africain !

– Mais non, il s'agit d'un Polonais !

– Un homme qui vient d'un pays communiste ! »

Au balcon, apparaît un homme jeune, détendu et qui parle très bien l'italien. Le pape, qui a choisi de s'appeler Jean-Paul II, s'adresse immédiatement aux jeunes du monde entier :

« N'ayez pas peur ! Vous êtes l'avenir du monde et l'Église compte sur vous ! »

PAVIVS·V·BVRGHFSiV·ROMANVS
PONTMAXANMD
CXIIPONT
VII

AEROM

Un pape pour le monde

Les conseillers du nouveau pape le constatent vite : Jean-Paul II a la bougeotte ! À peine installé dans ses appartements du Vatican à Rome, il part au Mexique. À la descente de l'avion, Jean-Paul II s'agenouille et baise le sol… Voilà une drôle de manière de dire bonjour aux Mexicains ! Devant la tête que fait le président, le pape explique :

« C'est pour montrer que Dieu n'oublie pas les habitants de ce pays et qu'il les aime… surtout les pauvres ! »

Dans les couloirs du Vatican, des bruits courent : « Le pape voyage trop ». Mais le pape reste tranquille face aux critiques :

« Si on veut être un pape moderne, il faut prendre l'avion. Ma première mission est de rencontrer mes frères du monde entier et de les encourager dans leur foi ! »

Jean-Paul II parcourt ainsi plus d'un million de kilomètres… soit trente fois le tour de la Terre et trois fois la distance de la Terre à la Lune ! Et pour être sûr de toucher le cœur des gens, Jean-Paul II apprend leur langue. Heureusement, il est très doué !

Les paroles du pape frappent ceux qui les entendent. Réconfortant les pauvres et les malades, elles dérangent souvent les hommes politiques qui ne veulent pas partager les richesses de leur pays. Mais Jean-Paul II n'a pas peur de crier au monde :
« Je suis la voix de ceux qui ne peuvent pas parler, la voix de ceux que l'on fait taire ! »
Certains pays voudraient bien que ce pape encombrant reste chez lui et se taise !

Le 13 mai 1981, sur la place Saint-Pierre à Rome, un homme se cache dans la foule qui accueille le pape. Soudain, il sort un pistolet et tire plusieurs fois sur le pape qui s'écroule !
« Le pape est blessé ! s'exclame un proche du pape.
– Vite ! À l'hôpital, s'écrie son secrétaire.
– Pourvu qu'il ne meure pas ! Il perd tellement de sang… »
Devant la basilique Saint-Pierre, des milliers de catholiques prient Marie pour qu'elle le protège. Le lendemain, les docteurs annoncent que le pape est sauvé.
Sur son lit d'hôpital, le pape déclare :
« Je pardonne au frère qui a tenté de me tuer. »
Pardonner à son assassin ? Encore une fois, Jean-Paul II étonne le monde et montre l'exemple.

Un an plus tard, le pape s'agenouille devant une belle statue de la Vierge à Fatima, au Portugal. C'est là qu'en 1917, un 13 mai, la Vierge est apparue à trois jeunes bergers. Outre ses appels à la prière, elle a aussi révélé des secrets sur l'avenir de l'Église et a parlé d'un évêque en blanc, tombant sous les balles…
Jean-Paul II en est convaincu : cet homme, c'est lui !
« Une main a tiré la balle et une autre l'a déviée ».
Notre Dame de Fatima lui a sauvé la vie.

Quelque temps plus tard, il fait insérer dans la couronne de la statue de Marie, la balle qui a failli le tuer… Et par un drôle de hasard, un petit trou semble justement attendre la balle qui s'y loge parfaitement !

À peine remis de ses blessures, Jean-Paul II se remet au travail… en suggérant de nombreux modèles aux chrétiens du monde entier. Et la liste est longue ! Maximilien Kolbe, Padre Pio, Jeanne Jugan, Édith Stein, Kateri Tekakwitha, Agnès de Bohême, Fra Angelico…

« Le pape propose trop de saints ! s'inquiète-t-on au Vatican.

– C'est la faute du Saint-Esprit, répond malicieusement Jean-Paul II.

– Mais les enfants ? Eux aussi peuvent être saints ? s'étonnent certains religieux.

– Bien sûr ! rétorque le pape. Et aussi des pères ou des mères de famille, des médecins, des savants ou des peintres. Des Chinois, des Africains, des Mexicains… Les gens pauvres ou les princesses, les reines et même les papes.

– Oui, mais ça, c'est normal ! réplique un évêque.

– La sainteté concerne tout le monde ! dit avec autorité le pape. Dieu ne nous demande pas d'être parfaits mais de lui faire confiance et de tout faire pour lui plaire. Regardez Mère Teresa qui s'occupe des plus pauvres en Inde. N'est-elle pas un exemple de charité et de confiance ? C'est peut-être une toute petite dame mais son cœur est immense ! »

Quelques années plus tard, les conseillers du pape sont embêtés :
« Cette idée de réunir tous les chefs religieux de la planète pour une journée de prière ne marchera jamais !
– Comment le pape pourrait-il prier avec un musulman ou un bouddhiste ? s'interroge un cardinal. Nous n'avons même pas le même Dieu ! »
Mais Jean-Paul II est tellement déterminé à rassembler tous les hommes qui prient. Et ça marche !

Le 27 octobre 1986, les chefs de toutes les religions se retrouvent à Assise, en Italie, la ville de saint François.

Sur un grand podium, on reconnaît le pape tout en blanc. À ses côtés, il y a le Dalaï-Lama, chef des bouddhistes, tout en jaune, les orthodoxes tout en noir. Il y a même des chefs indiens avec des coiffures à plumes et des Africains, vêtus de robes de toutes les couleurs ! C'est un véritable arc-en-ciel !
Jean-Paul II, le chef des catholiques, ouvre les mains en signe de paix :
« Il ne s'agit pas de prier ensemble mais de se tourner ensemble vers Dieu pour lui demander la paix, chacun dans sa prière. Prions, prions pour que les canons se taisent ! »

NILS

« Lorsque je suis faible, c'est alors que je suis fort. »

(2 Co 12, 10)

Le 9 novembre 1989, un prêtre court dans les couloirs du Vatican en criant : « Le mur de Berlin est tombé ! » Jean-Paul II se réjouit : ce mur, qui séparait depuis tant d'années la ville de Berlin, vient de tomber sans un seul coup de feu !

« C'est vraiment le signe que les pays communistes s'ouvrent au monde ! s'exclame le secrétaire du pape.

– Et vous verrez, dit un conseiller, cela ne fait que commencer… Toute l'Europe de l'est va ouvrir ses frontières, la Pologne, la Hongrie, la Tchécoslovaquie…

– Et pourquoi pas la Russie ? lance le pape.

– Impossible ! » s'écrient les conseillers politiques de Jean-Paul II.

Un mois plus tard, le chef de la Russie rencontre le pape au Vatican. C'est une rencontre historique !

« Les chrétiens de l'Est doivent pouvoir aller à la messe, se confesser ou prier librement, insiste Jean-Paul II.

– Je m'y engage », promet Mikhaïl Gorbatchev.

Et il tient parole. Plus tard, le chef de la Russie déclare : « Sans Jean-Paul II, l'Europe n'aurait jamais retrouvé son unité ! »

VIVE LE PAPE
JMJ

Jean-Paul II n'est pas seulement le pape de la liberté religieuse. Il est aussi le pape qui parle aux jeunes du monde entier. Depuis 1985, il les retrouve lors de grands rassemblements, les JMJ. En 1997, c'est au tour de Paris de l'accueillir.
« C'est incompréhensible ! D'où sortent tous ces jeunes ? s'exclame un grand-père parisien devant tous les jeunes qui chantent joyeusement dans les couloirs du métro.
– Nous venons du Sénégal, répond en souriant une jeune Africaine.
– Et nous du Japon ! Eux, ils sont Brésiliens.
– Mais où allez-vous ?
– Prier avec notre pape ! » répond la jeune Sénégalaise.

À côté de Paris, l'hippodrome de Longchamp se remplit d'une foule colorée et bruyante.
« Serrez-vous un peu ! demande un bénévole. Laissez passer les personnes handicapées !
– Il paraît qu'on est plus d'un million, s'exclame un jeune Français.
– Ce sera la plus grande messe de toute l'histoire de France ! » réplique fièrement son voisin.
À son arrivée, le pape est accueilli par des cris de joie. Il ouvre les bras avec un grand sourire : « Vous êtes mon espérance ! Que vos gestes et vos paroles soient le reflet de votre âme. »

Les années passent et le pape vieillit. Des bruits courent :

« Le pape doit démissionner.

– Il est trop vieux...

– Il est trop malade ! »

C'est vrai, le pape est maintenant un vieillard qui marche avec une canne. Et même s'il dit avec humour « c'est moi qui porte la canne, ce n'est pas la canne qui me porte », il est visiblement fatigué. Il a du mal à parler et ses mains tremblent sous l'effet de la maladie. Pourtant, il continue inlassablement ses voyages.

À Manille, aux Philippines, il rassemble plus de cinq millions de personnes ! Un record jamais atteint ! Mais qu'est-ce qui fait tenir Jean-Paul II ?
« Je veux faire entrer l'Église dans le nouveau millénaire, répond-il. Fêter cet extraordinaire anniversaire de la naissance de Jésus il y a deux mille ans. Cette grande fête permettra à chaque chrétien de demander pardon et de partir en pèlerinage. »

Demander pardon ? À un ami, pourquoi pas. Mais à tous ceux que l'Église a pu faire souffrir... ce n'est pas possible !

« Le pape a déjà demandé pardon aux Juifs, aux Indiens d'Amérique, aux anciens esclaves africains, aux protestants ! Cela suffit ! remarquent certains responsables catholiques.

– L'Église ne doit pas s'humilier, affirment d'autres proches du pape.

– Et pourquoi serait-elle la seule à demander pardon ? s'interrogent beaucoup de chrétiens.

– C'est du passé. Pourquoi y revenir ? » pense même une majorité de catholiques.

Jean-Paul II répond à toutes ces objections par un pèlerinage en Terre Sainte, le pays de Jésus mais aussi la terre où vivent les Juifs. Le dimanche 26 mars 2000, il est à Jérusalem. Autour de lui, il y a beaucoup de gardes du corps, de journalistes, de chrétiens... et des Juifs. Ils observent ce pape, qui les appelle « ses frères aînés ».

« Regardez, dit un journaliste français, le pape Jean-Paul II s'approche du célèbre Mur des Lamentations.
– Ce Mur est le dernier vestige du Temple de Jérusalem construit par le roi Salomon. Les Juifs viennent y déposer leur prière. C'est un endroit sacré pour eux, explique un confrère.
– Ça y est, le pape est face au Mur. Il ferme les yeux et semble prier. Il a une main sur sa canne et l'autre posée sur le Mur.
– Mais que fait-il ? Ah, il glisse un petit bout de papier dans une fissure du Mur ! Ça alors ! Quel symbole pour les Juifs ! »

Sur le papier, il y a une prière et une demande de pardon pour tout le mal causé aux Juifs. Jean-Paul II veut montrer au monde entier que l'Église ne doit pas se présenter devant le Christ « avec des cailloux dans ses chaussures » ! Elle doit regarder son passé pour construire son avenir.

Le cercueil en bois de cyprès est tout simple. Dessus, une Bible ouverte dont le vent tourne les pages…

Ce 8 avril 2005, un grand silence règne sur le parvis de la place Saint-Pierre. La foule innombrable qui déborde dans toutes les rues de Rome, se tait. Du Mexique au Congo et des Philippines au Brésil, la télévision retransmet ce silence. Le temps paraît suspendu… quand soudain une clameur immense jaillit de la foule : « Santo subito ! Santo subito ! » Ce qui, en italien, veut dire « Saint tout de suite ! »

Les catholiques sont venus dire au revoir à leur pape. Le même jour, un journal anglais rend hommage à Jean-Paul II « l'homme qui a changé le monde » !

Pologne

Jean-Paul II est né à Wadowice, une petite ville située à 50 kilomètres de Cracovie, la capitale de la Pologne. Pendant la seconde guerre mondiale, la Pologne a beaucoup souffert de l'occupation allemande puis encore de longues années, après la guerre, du régime communiste. Élu pape, Jean-Paul II est resté très attaché à son pays d'origine et il y est régulièrement retourné malgré la lourde charge de sa fonction.

Journées Mondiales de la Jeunesse

En 1984, plus de 300 000 jeunes se retrouvent à Rome à l'occasion d'une grande fête religieuse, le Jubilé international de la jeunesse. Jean-Paul II, très ému par tous ces jeunes portés par leur foi, décide de créer les Journées Mondiales de la Jeunesse. Il veut offrir aux jeunes du monde entier un espace de communion et de partage.
Dix-neuf JMJ se sont déroulées sous le pontificat de Jean-Paul II.

Mur des Lamentations

C'est sur le mont Moriah que Dieu a parlé à Abraham et scellé avec lui une Alliance en lui promettant de devenir le père d'un très grand nombre de peuples.
Au Xe siècle avant Jésus-Christ, le roi Salomon fait construire un temple à ce même endroit qui sera détruit plus tard par les Babyloniens. Mais à la fin du Ier siècle avant la naissance de Jésus, le roi Hérode le fait restaurer.
Aujourd'hui, il n'en reste plus qu'une partie nommée Mur des lamentations. Il est le lieu principal de prière des Juifs qui viennent pleurer la destruction du Temple et prier Dieu. Il est aussi vénéré par les chrétiens car Jésus, ses disciples et Marie le fréquentaient régulièrement.

Santo subito

À la mort de Jean-Paul II, les croyants, rassemblés place Saint-Pierre, réclament que le pape soit reconnu saint tout de suite. En 1634, le pape Urbain VIII avait fixé les critères pour désigner une personne sainte : son travail, ses rencontres, sa vie exemplaire, les miracles accomplis.
Le recueil de ces informations nécessitait de longues années de travail.
Jean-Paul II a simplifié la procédure de canonisation en insistant sur la sainteté de la vie menée sur Terre.